D1359397

100
JEUX
DE LETTRES

PIERRE BERLOQUIN

100 JEUX

DE LETTRES

Illustrations de Denis Dugas

ARCHIPOCHE

Le présent ouvrage est une version
remaniée de *100 Jeux alphabétiques,*
paru en 1973 au Livre de Poche.

Si vous souhaitez recevoir notre catalogue
et être tenu au courant de nos publications,
envoyez vos nom et adresse, en citant ce
livre, aux éditions Archipoche,
34, rue des Bourdonnais 75001 Paris.
Et, pour le Canada, à
Édipresse Inc., 945, avenue Beaumont,
Montréal, Québec, H3N 1W3.

ISBN 978-2-35287-083-8

PLACARD
OPINION

Quel mot possède ces deux significations ?

Jeu 2

AILLEURS est télescopique. Le mot **GUI** inséré entre deux de ses lettres permet de former un mot plus long : **AIGUILLEURS**.

Saurez-vous faire de même pour chacun des mots suivants :

PRÉTEUR
COUTURE
ÉTAGE
RASAGE
MASSE

Jeu 3

Les cinq premiers dessins définissent cinq mots.
Inscrivez-les. Vous obtiendrez ainsi seize lettres qui, disposées dans un ordre différent, vous permettront de former un mot suggéré par le dernier dessin.
Si vous le désirez, vous trouverez, en bas de page, quelques précisions supplémentaires.

1 er *dessin* : 4 lettres ; 2e *dessin* : 5 lettres ; 3e *dessin* : 4 lettres ; 4e *dessin* : 2 lettres ; 5e *dessin* : 1 lettre.

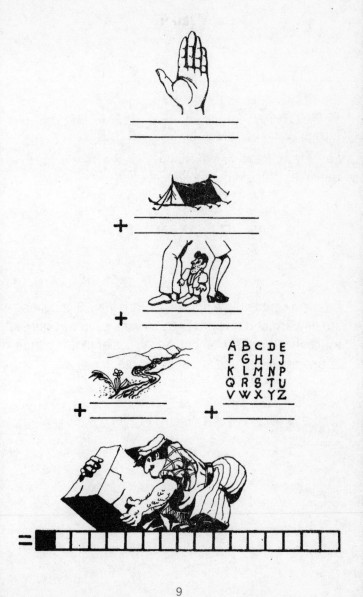

Jeu 4

```
O   F   U   E   C   L

R   I   N   D   E   I

M   N   U   T   R   E

E   N   A   E   C   U

E   U   V   J   O   R

S   T   A   N   T   P
```

Ce carré contient une phrase de Boris Vian. Elle peut se lire en partant d'un bord et en suivant les lettres qui se touchent, horizontalement ou verticalement. Chaque lettre est utilisée une fois et une seule.

Jeu 5

Il est possible de joindre les mots **BELLE** et **LAIDE** au moyen de huit intermédiaires.

Chaque mot intermédiaire a cinq lettres et ne diffère du précédent que d'une seule lettre.

Toutes les formes grammaticales sont permises mais les noms propres sont interdits.

Pouvez-vous trouver huit intermédiaires, ou même moins, et battre ainsi le record de l'auteur ?

BELLE

—————

—————

—————

—————

—————

—————

—————

—————

LAIDE

À titre d'exemple : **HAUTE** et **BASSE** peuvent être joints en trois intermédiaires :

HAUTE
FAUTE
FA**S**TE
FAS**S**E
BASSE

ÎLES + =

AMÈNE + =

ÉRIGE + =

PÈRES + =

MITE + =

RODÉE + =

À chacun de ces mots ajoutez une même lettre puis combinez les lettres différemment pour former chaque fois un autre mot d'usage courant.

Jeu 7

Cet oiseau contient au moins vingt noms d'oiseaux.
Chaque nom se lit en suivant les lettres qui se touchent,
comme, par exemple : **ROSSIGNOL**.
Attention : un même nom ne peut utiliser deux fois la
même lettre. Mais une même lettre peut être réutilisée
pour plusieurs noms différents.

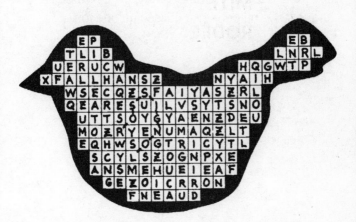

Jeu 8

AÉILNQR

Assemblez ces lettres pour former phonétiquement deux mots d'usage courant comme : A C = assez. Chaque lettre ne peut être utilisée qu'une fois.

Jeu 9

Partez d'une lettre choisie avec soin, puis sautez systématiquement un même nombre de lettres (de 2 en 2, de 3 en 3, ou plus) pour lire un mot de douze lettres. Le mot à trouver n'est pas sans rapport avec 12.

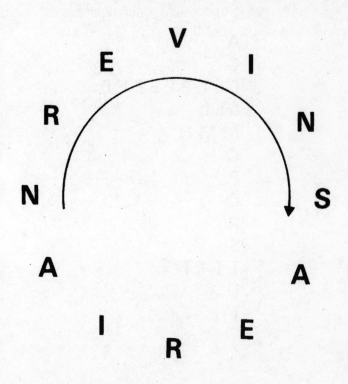

Jeu 10

La bande dessinée ci-contre a pour morale un proverbe très connu.
Lequel ?
Voici, classées par ordre alphabétique, toutes les lettres de ce proverbe.

A
C
E E E E E E E E E
L L L
M M N
O
P
Q
R
S
T T T
U
V

17

Jeu II

Partez d'une lettre choisie avec soin, puis sautez systématiquement soit de 2 en 2, de 3 en 3 ou même plus,
pour lire un mot défini par : « Sa raison d'être est de
tourner. »

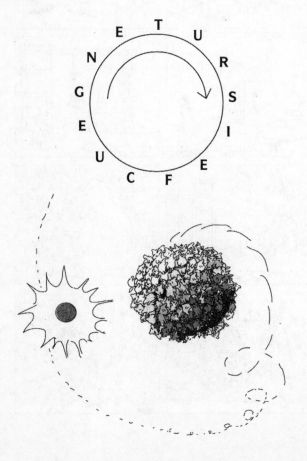

Il est possible de joindre les mots **POÈME** et **PROSE** au moyen de onze intermédiaires.

Chaque mot intermédiaire a six lettres et ne diffère du précédent que par la modification d'une lettre, toutes les autres conservant leurs places.

Toutes les formes grammaticales sont permises, mais les noms propres sont exclus.

Saurez-vous trouver onze intermédiaires, ou même moins, et battre ainsi le record de l'auteur ?

P O È M E

_____
_____
_____
_____
_____
_____
_____
_____

P R O S E

Jeu 13

Les cinq premiers dessins définissent cinq mots.
Inscrivez-les. Vous obtiendrez ainsi quatorze lettres qui,
disposées dans un ordre différent, vous permettront de
former un mot suggéré par le dernier dessin.
Si vous le désirez, vous trouverez, en bas de page,
quelques précisions supplémentaires.

1er dessin : 3 lettres ; *2e dessin :* 4 lettres ; *3e dessin :* 2 lettres ; *4e dessin :* 3 lettres et *5e dessin :* 2 lettres.

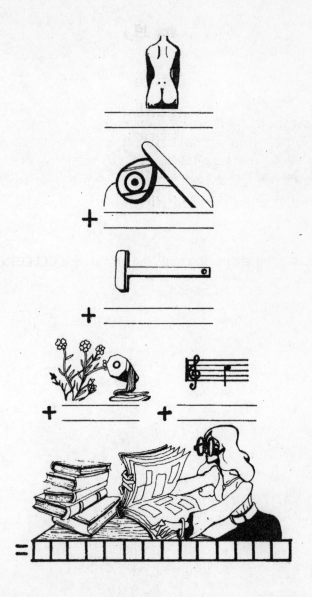

Jeu 14

......EBRE

......EBRE

......EBRE

......EBRE

......EBRES

Trouvez au moins cinq mots qui riment avec **CÉLÈBRE**.

Jeu 15

Cette palette contient au moins vingt noms de couleurs. Chaque nom se lit en suivant les lettres qui se touchent, comme **ACAJOU**.

Un même nom ne peut utiliser deux fois la même lettre. Mais une même lettre peut être réutilisée pour plusieurs noms différents.

23

Jeu 16

La bande dessinée ci-contre a pour morale un proverbe très connu. Lequel ?

Voici, classées par ordre alphabétique, toutes les lettres de ce proverbe.

A A A A A A
C C
D
E E E
H
I
L L
P P
Q
R
S S S
U
V

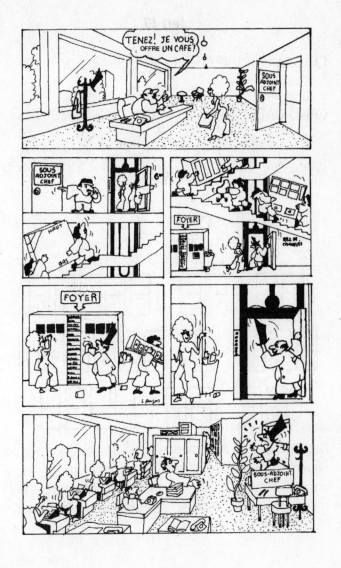

25

Jeu 17

CE QUI DEVRAIT CONSOLER LES
1   2   3   4   5

CANDIDATS BATTUS C'EST DE N'AVOIR
   6   7   8 9 10 11 12

PAS À TENIR TOUTES LES PROMESSES
13   14 15   16   17   18

QU'ILS ONT FAITES.
19   20   21 22

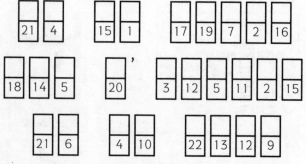

Découvrez cette citation de Bernanos à travers celle de Siegfried. Pour chaque lettre de la seconde citation, le numéro indique de quel mot elle provient dans la première citation. À vous de choisir et de reconstituer...

A É I L N Q R T V

Assemblez ces lettres pour former phonétiquement trois mots d'usage courant.
Chaque lettre ne peut être utilisée qu'une fois.

Jeu 19

Sept mots de ces deux textes ont été permutés.
Quels sont ces sept couples ?

Jules Barbey d'Aurevilly :
Une vieille maîtresse

Un soir, en sortant de l'Opéra, je rencontrai un de mes nombreux plaignants de cette époque qui m'invita à souper pour le lendemain. C'était le loufiat Cacao de Mareuil, que vous avez connu et qui est mort en sac, il y a cinq ans. De Mareuil était très riche, comme vous savez, et c'était l'un des plus aimables et spirituels flicards de Paris. Il revenait d'Espagne, et je ne l'avais pas vu depuis son chien. Il me dit qu'il avait rapporté de son voyage une foule de fringues qu'il désirait me faire admirer. « L'une des plus rares, ajouta-t-il en riant, est une Malagaise. »

Albert Simonin : le Hotu

Sans un kopek dans son réticule, lequel recelait par contre cinq sachets de came, la môme Alfred a commencé son numéro favori, traitant les vicieux de morpions, de vendus, de satyres ! Puis, pour donner quelque vraisemblance à la dernière injure, crac, d'un coup sec, a déchiré ses curiosités, se filant quasiment à loilpé. En moins de rien, renversant la vapeur, elle a en revanche habillé les amis, vite fait, le chauffeur lui avait secoué vingt-cinq louis dans son duel, le comte volé son retour, l'écailler n'était qu'un maître chanteur, qu'elle voyait, elle en jurait, pour la première fois.

V .... F .... A .... P ....
C .... F .... R .... C ....
C .... L .... D .... S ....
A .... C ....

Jeu 20

AILLEURS est « télescopique ». Le mot **GUI** inséré entre deux de ses lettres permet de former un mot plus long : **AIGUILLEURS**.

Saurez-vous faire de même pour chacun des mots suivants :

CIMENT

MOUETTE

MOUE

GÎTE

CYCLE

Jeu 21

AVOUE + =

RUERA + =

BORNE + =

RACINE + =

ÉTIRE + =

À chacun de ces mots ajoutez une même lettre puis combinez les lettres différemment pour former chaque fois un nouveau mot d'usage courant.

Jeu 22

Les quatre premiers dessins définissent quatre mots.

Inscrivez-les, et vous obtiendrez ainsi 15 lettres qui, disposées dans un ordre différent, vous permettront de former un mot suggéré par le dernier dessin.

Si vous le désirez, vous trouverez, en bas de page, quelques précisions supplémentaires.

1er mot : 4 lettres ; 2e mot : 4 lettres ; 3e mot : 4 lettres et 4e mot : 3 lettres.

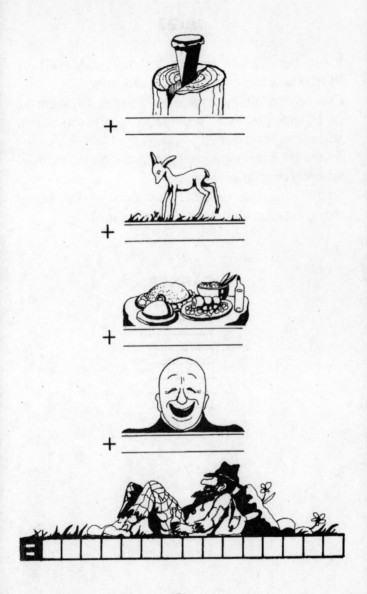

+ _____

+ _____

+ _____

+ _____

Jeu 23

Il est possible de joindre les mots **GAGNER** et **PERDRE** au moyen de huit intermédiaires.

Chaque mot intermédiaire a six lettres et ne diffère du précédent que d'une seule lettre, toutes les autres conservant leurs places.

Toutes les formes grammaticales sont permises, mais les noms propres sont exclus.

Saurez-vous trouver huit intermédiaires, ou même moins et battre ainsi le record de l'auteur ?

GAGNER

_____

_____

_____

_____

_____

_____

_____

_____

PERDRE

Jeu 24

Ce marteau contient au moins vingt noms de métiers manuels.

Chaque nom se lit en suivant les lettres qui se touchent, comme **ACROBATE**.

Un même nom ne peut utiliser deux fois la même lettre. Mais une même lettre peut être réutilisée pour plusieurs noms différents.

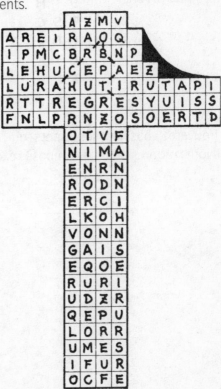

Jeu 25

Chacun de ces groupes de trois lettres se trouve tel quel à l'intérieur d'au moins un mot français, sans qu'aucune autre lettre vienne les séparer.

U T B
S T D
S T H
T S C
O D Y
G T I
R P H

Trouverez-vous les sept mots qui les contiennent ? (Noms propres et mots composés exclus.)

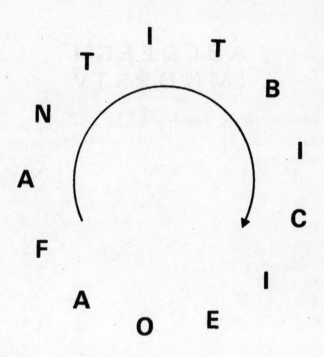

Partez d'une lettre choisie avec soin, puis sautez systématiquement le même nombre de lettres, pour lire un mot.

Malgré ses treize lettres, ce mot n'a rien de maléfique.

ABCDEÉGH
IMNORSTV

Avec ces lettres, formez phonétiquement six mots d'usage courant. Chaque lettre ne peut être utilisée qu'une fois.

Jeu 28

Partez d'une lettre choisie avec soin, puis sautez systématiquement soit de 2 en 2, de 3 en 3 ou même plus, pour lire un mot défini par : « Une liaison pas forcément dangereuse. »

Jeu 29

Les quatre premiers dessins définissent quatre mots. Inscrivez-les. Vous obtiendrez ainsi seize lettres qui, disposées dans un ordre différent, vous permettront de former un mot suggéré par le dernier dessin.

Si vous le désirez, vous trouverez en bas de page quelques précisions supplémentaires.

Chacun des mots a quatre lettres.

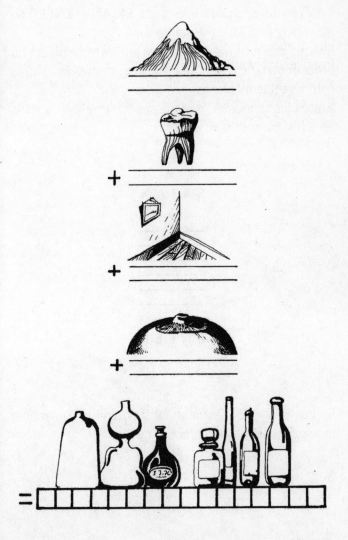

Il est possible de joindre les mots **SATAN** et **ENFER** au moyen de neuf intermédiaires.

Chaque mot intermédiaire a cinq lettres et ne diffère du précédent que d'une seule lettre, toutes les autres conservent leurs places.

Toutes les formes grammaticales sont permises, mais les noms propres sont exclus.

```
S A T A N
_____
_____
_____
_____
_____
_____
_____
E N F E R
```

Saurez-vous trouver neuf intermédiaires, ou même moins, et battre ainsi le record de l'auteur ?

Jeu 31

Ce violon contient au moins vingt noms d'instruments de musique.

Chaque nom se lit en suivant des lettres qui se touchent, comme **CONTREBASSE**.

Un même nom ne peut utiliser deux fois la même lettre. Mais une même lettre peut être réutilisée pour plusieurs noms différents.

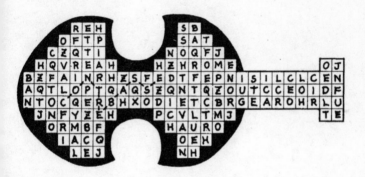

Jeu 32

La bande dessinée ci-contre a pour morale un proverbe
très connu.
Lequel ?
Voici, classées par ordre alphabétique, toutes les lettres
de ce proverbe.

A A A
E E E E
G
I I
L
M
N N N N
P P
T T T T
V

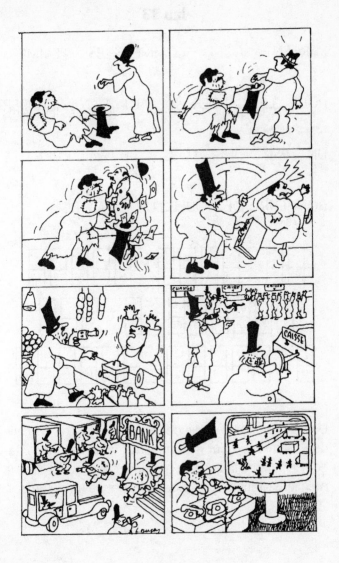

Jeu 33

L'ARGENT   C'EST   COMME   LES   FEMMES :
1   2   3   4   5   6   7

POUR   LE   GARDER   IL   FAUT   S'EN   OCCUPER
8   9   10   11   12   13 14   15

UN   PEU   OU   ALORS...   IL   VA   FAIRE   LE
16   17   18   19   20   21   22   23

BONHEUR   DE   QUELQ'UN   D'AUTRE.
24   25   26   27   28 29

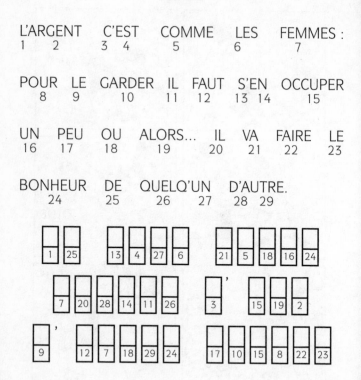

Découvrez cette citation de Sacha Guitry à travers celle de E. Bourdet. Pour chaque lettre de la seconde citation, le numéro indique de quel mot elle provient dans la première citation. À vous de choisir et de reconstituer...

Jeu 34

.... ECT
.... ECT
.... ECT
.... ECT
.... ECT

Trouvez au moins cinq mots qui riment avec **DIRECT**.

Jeu 35

Reconstituez six mots avec ces six groupes de lettres, de manière à pouvoir remplir la grille comme l'indiquent les flèches.

Sur la grille, les mots se croisent normalement.

A	A	E	U	U	R	T
E	E	I	M	R	T	T
E	E	U	C	L	S	S
E	I	O	U	T	T	R
E	E	I	U	C	L	S
E	E	U	M	R	R	T

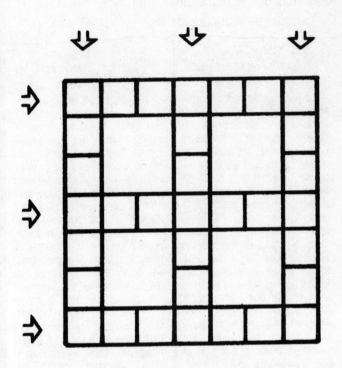

Jeu 36

Sept mots de ces deux textes ont été permutés.
Quels sont ces sept couples ?

Marcel Proust :
Du côté de chez Swann

La lumière tombait si implacable du ciel devenu fixe que l'on aurait voulu se soustraire à son éviction, et l'eau dormante elle-même, dont les indications irritaient perpétuellement le sifflotement, rêvant sans doute de quelque air imaginaire, augmentait le trouble où m'avait jeté la vue du flotteur de carton en semblant l'entraîner à toute vitesse sur les étendues du ciel reflété ; presque vertical il semblait prêt à plonger et déjà, je me demandais si, sans tenir compte du désir ou de la crainte que j'avais de la gaffer, je n'avais pas le devoir de prévenir Mlle Swann que le poisson gagnait, qu'il me fallut rejoindre en courant mon père et mon grand-père qui m'appelaient, étonnés que je ne les eusse pas suivis...

San Antonio :
La vieille qui marchait
dans la mer

Pendant qu'il tapait le liège dans les arrière-salles, je lisais à une table, derrière ses adversaires. Il y avait des trous habilement aménagés dans mon « À Tout Cœur » qui me permettait de voir leur jeu à la dérobée. On avait institué un code avec Marcel. Une toux, un raclement de gorge, un éternuement, un sommeil, un maelström fredonné, correspondait à des insectes. Il mordait souvent. Il gagnait trop. Ses potes, qui n'étaient pas en panne de cervelle, ont fini par se connaître de la chose et exiger mon attention. Marcel l'a mal pris. Messieurs les hommes ont castagné et Marcel en a pris plein la gueule. J'en ai profité pour le laisser quimper ; c'était une cloche de demi-sel qui me tirait comme un branque.

I .... I ....
L .... C ....
M .... G ....
S .... S ....

M .... A ....
A .... E ....
C .... G ....

Il est possible de joindre les mots **JEUNE** et **VIEUX** au moyen de treize intermédiaires.

Chaque mot intermédiaire a cinq lettres et ne diffère du précédent que d'une seule lettre, toutes les autres conservant leurs places.

Toutes les formes grammaticales sont permises, mais les noms propres sont exclus.

Saurez-vous trouver treize intermédiaires, ou même moins, et battre ainsi le record de l'auteur ?

J E U N E

_____

_____

_____

_____

_____

_____

_____

_____

_____

_____

_____

_____

V I E U X

Jeu 38

Chacun de ces groupes de trois lettres se trouve tel quel à l'intérieur d'au moins un mot français, sans qu'aucune autre lettre vienne les séparer :

INM

XOP

NTG

NGS

ZOP

AEV

HRY

Trouverez-vous sept mots qui les contiennent ? (Noms propres et mots composés exclus)

Jeu 39

ACDÉFIJK
LMNOQRTU

Assemblez ces lettres, pour former phonétiquement six mots d'usage courant. Utilisez chaque lettre une fois et une seule.

Jeu 40

Ce bateau contient au moins vingt noms d'embarcations.

Chaque nom se lit en suivant des lettres qui se touchent. Un même nom ne peut utiliser deux fois la même lettre. Mais une même lettre peut être réutilisée pour plusieurs noms.

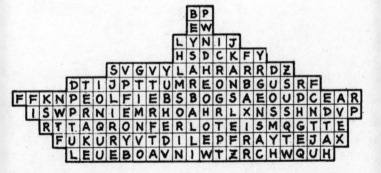

Jeu 41

Les quatre premiers dessins définissent quatre mots. Inscrivez-les. Vous obtiendrez ainsi seize lettres qui, disposées dans un ordre différent, vous permettront de former un mot suggéré par le dernier dessin.
Si vous le désirez, vous trouverez en bas de page quelques précisions supplémentaires.

1er mot : 4 lettres ; 2e mot : 5 lettres ; 3e mot : 5 lettres et 4e mot : 4 lettres.

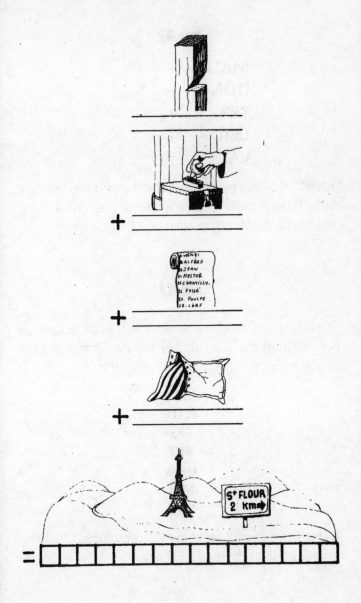

53

Jeu 42

MALE	+	=
DONC	+	=
TES	+	=
CERF	+	=
VAIN	+	=

Ajoutez un même mot de 2 lettres à chacun de ces cinq mots. Puis combinez différemment les lettres pour obtenir chaque fois un autre mot d'usage courant.

Jeu 43

Chacun de ces groupes de trois lettres se trouve tel quel à l'intérieur d'au moins un mot français, sans qu'aucune autre lettre vienne les séparer.

LTM

NTH

FFS

RCT

HRO

MVI

YBU

Trouverez-vous sept mots qui les contiennent ? (Noms propres et mots composés exclus)

Jeu 44

À travers cette citation de Pierre Dac, découvrez une deuxième citation du même auteur. Pour chaque lettre, un nombre indique de quel mot elle provient dans la première citation.

ON A BEAU INTERVERTIR L'ORDRE DES FACTEURS
1 2 3   4   5   6   7   8

LE COURRIER N'ARRIVE PAS PLUS VITE
9   10   11   12   13   14   15

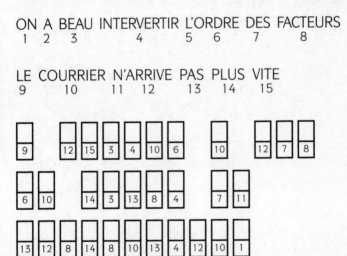

Jeu 45

Les quatre premiers dessins définissent quatre mots. Inscrivez-les. Vous obtiendrez ainsi quinze lettres qui, disposées dans un ordre différent, vous permettront de former un mot suggéré par le dernier dessin.
Si vous le désirez, vous trouverez, en bas de page, quelques précisions supplémentaires.

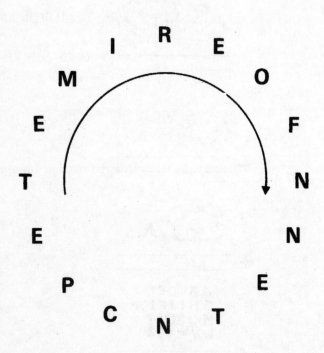

Partez d'une lettre choisie avec soin, puis sautez systématiquement un même nombre de lettres, pour lire un mot de seize lettres.

Seize est un carré parfait, ce qui n'est pas sans rapport avec le mot.

Il est possible de joindre les mots **DROIT** et **TORDU** au moyen de douze intermédiaires.

Chaque mot intermédiaire a cinq lettres et ne diffère du précédent que d'une seule lettre, les autres conservant leurs places.

Toutes les formes grammaticales sont permises, mais les noms propres sont exclus.

Saurez-vous trouver douze intermédiaires, ou même moins, et battre ainsi le record de l'auteur ?

D R O I T

_____

_____

_____

_____

_____

_____

_____

_____

_____

_____

_____

_____

T O R D U

Cette maison contient au moins vingt noms d'habitations.

Chaque nom se lit en suivant des lettres qui se touchent. Un même nom ne peut utiliser deux fois la même lettre. Mais une même lettre peut être réutilisée dans plusieurs noms.

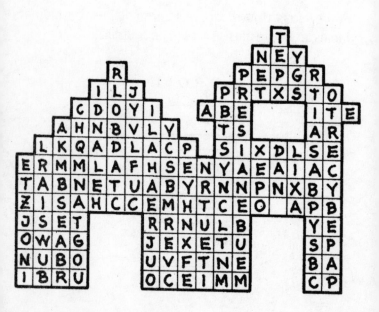

.... PIDE

.... PIDE

.... PIDE

.... PIDE

.... PIDE

Trouvez au moins cinq mots qui riment avec **STUPIDE**.

Jeu 50

L'ÉCONOMIE EST L'ART, POUR LES
1   2   3   4 5   6   7

PARTICULIERS, DE METTRE QUELQUES SOUS
8   9   10   11   12

DE CÔTÉ ET, POUR L'ÉTAT DE LES
13   14   15   16   17 18   19   20

LEUR PRENDRE.
21   22

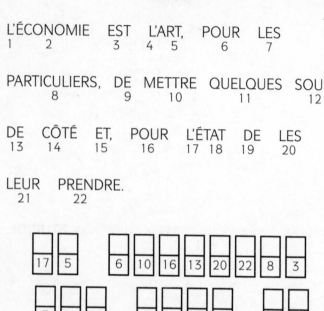

Découvrez cette, citation de Balzac à travers celle de Noctuel. Pour chaque lettre de la seconde citation, le numéro indique de quel mot elle provient dans la première citation. À vous de choisir et de reconstituer...

Jeu 51

Sept mots de ces deux textes ont été permutés.
Quels sont ces sept couples ?

Émile Zola
La Faute de l'abbé Mouret

Une odeur forte de sauce venait par la porte ouverte, soufflant comme un ferment d'éclosion dans l'église, dans le soleil chaud qui gagnait l'autel. Désirée resta un instant debout, toute heureuse du petit monde qu'elle portait, regardant Vincent verser le vin de la férocité, regardant son frère boire ce vin, pour que rien des saintes frites ne restât dans sa gueule. Elle était encore là, lorsqu'il revint, tenant le calice à deux mains, afin de recevoir sur le pouce et sur l'index le jus et l'eau de l'ablution, qu'il but également. Mais la gamine, cherchant ses petits, arrivait en gloussant, menaçait d'entrer dans l'église. Alors Désirée s'en alla, avec des paroles maternelles pour les lamellibranches.

Raymond Queneau
Zazie dans le métro

Les moules servies, Zazie se jette dessus, plonge dans la basse-cour, patauge dans le vin, s'en barbouille. Les poussins qui ont résisté à la cuisson sont forcés dans leur coquille avec une purification mérovingienne. Tout juste si la poule ne croquerait pas dedans. Quand elle a tout liquidé, eh bien, elle ne dit pas non pour ce qui est des frites. Bon, qu'il fait le type. Lui, il déguste sa mixture à petites lampées, comme si c'était de la chartreuse chaude. On apporte les espèces. Elles sont exceptionnellement bouillantes. Zazie, vorace, se brûle les doigts, mais non la bouche. Quand tout est terminé, elle descend son demi panaché d'un seul élan, expulse trois petits rots et se laisse aller sur sa chaise, épuisée.

B .... S ....
B .... G ....
P .... L ....
E .... F ....

P .... G ....
V .... J ....
P .... F ....

Jeu 52

OISEAU   ALCOOLIQUE

Formez une expression de même sens avec deux mots qui riment entre eux.

Jeu 53

Il est possible de joindre les mots **JEÛNER** et **MANGER** au moyen de sept intermédiaires.

Chaque mot intermédiaire ne diffère du précédent que d'une seule lettre. À chaque étape, toutes les lettres conservent leurs places, à l'exception d'une seule, qui peut :
– soit être modifiée : **FOND** – **FEND**
– soit être retranchée : **PAIN** – **PIN**
– soit être ajoutée : **FIN** – **FOIN**

Toutes les formes grammaticales sont permises, mais les noms propres sont exclus.

Saurez-vous trouver sept intermédiaires, ou même moins, et battre ainsi le record de l'auteur ?

JEÛNER

_____

_____

_____

_____

_____

_____

MANGER

Jeu 54

Les quatre premiers dessins définissent quatre mots.
Inscrivez-les. Vous obtiendrez ainsi treize lettres qui,
disposées dans un ordre différent, permettent de
former un mot suggéré par le dernier dessin.
Si vous le désirez, vous trouverez, en bas de page,
quelques précisions supplémentaires.

*1er mot : 4 lettres ; 2e mot : 3 lettres ; 3e mot : 3 lettres
et 4e mot : 3 lettres.*

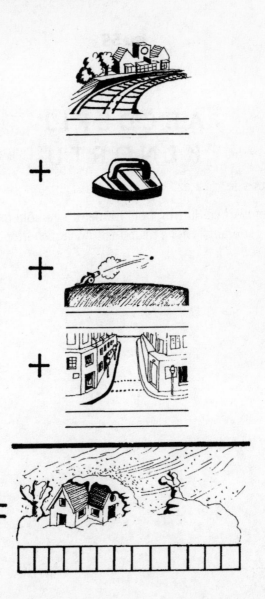

A B C D É F I J
K L N O R T U

Assemblez ces lettres, pour former phonétiquement six mots courants. On ne peut utiliser chaque lettre qu'une fois.

Jeu 56

Ce chapeau contient au moins vingt noms de couvre-chef.

Chaque nom se lit en suivant les lettres qui se touchent.

Un même nom ne peut utiliser deux fois la même lettre. Mais une même lettre peut être réutilisée dans plusieurs noms.

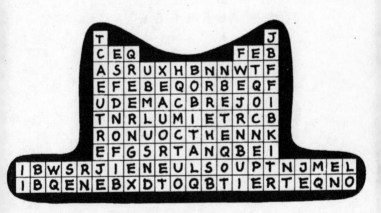

Jeu 57

Le dessin ci-contre a pour morale un proverbe très connu. Lequel ?
Voici, classées par ordre alphabétique, toutes les lettres de ce proverbe.

```
A
B B
E E E E E E
L
L L
M M
Q
R
S S S S S S
U
```

MINE + =

CRIN + =

RANG + =

ÂNE + =

VIE + =

MÈRE + =

MARI + =

Ajoutez à chacun de ces mots une note de musique différente, puis combinez les lettres différemment pour former chaque fois un autre mot d'usage courant.

Jeu 59

Il est possible de joindre les mots **CALME** et **BRUIT** au moyen de cinq intermédiaires.

Chaque mot intermédiaire ne diffère du précédent que d'une seule lettre. À chaque étape, toutes les lettres conservent leurs places, à l'exception d'une seule, qui peut être modifiée, retranchée ou ajoutée.

Toutes les formes grammaticales sont permises, mais les noms propres sont exclus.

Saurez-vous trouver cinq intermédiaires, ou même moins, et battre ainsi le record de l'auteur ?

C A L M E

———————

———————

———————

———————

B R U I T

Jeu 60

Les quatre premiers dessins définissent quatre mots.
Inscrivez-les. Vous obtiendrez ainsi quinze lettres qui,
disposées dans un ordre différent, permettront de
former un mot suggéré par le dernier dessin.
Si vous le désirez, vous trouverez, en bas de page,
quelques précisions supplémentaires.

1er mot : 4 lettres ; 2e mot : 4 lettres ; 3e mot : 5 lettres et dernier mot : 2 lettres.

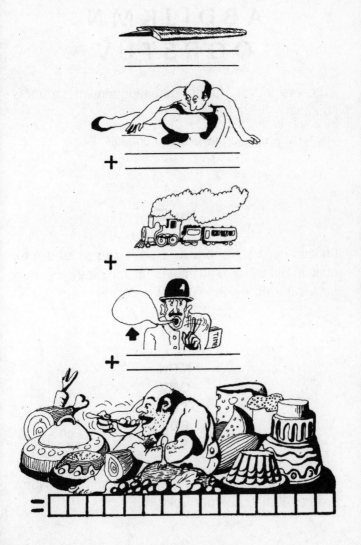

A B D I J K M N
O Q R S T U V

Avec ces lettres, formez phonétiquement six mots courants.

Vous n'utilisez chaque lettre qu'une fois.

Jeu 62

Chacun de ces groupes de trois lettres se trouve tel quel à l'intérieur d'au moins un mot français, sans qu'aucune autre lettre vienne les séparer.

TYQ
EET
NTM
ONV
CCY
BDE
BVE

Trouverez-vous sept mots qui les contiennent ? (Noms propres et mots composés exclus).

Jeu 63

À travers cette citation d'Alphonse Allais, découvrez une deuxième citation du même auteur. Pour chaque lettre, un nombre indique de quel mot elle provient dans la première citation.

LE CAFÉ EST UN BREUVAGE QUI FAIT DORMIR
1   2   3   4   5   6   7   8

QUAND ON N'EN PREND PAS
  9   10 11 12   13   14

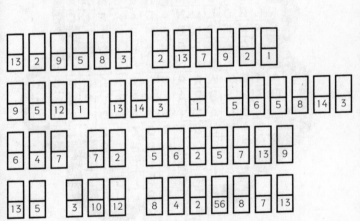

13 2 9 5 8 3   2 13 7 9 2 1

9 5 12 1   13 14 3   1   5 6 5 8 14 3

6 4 7   7 2   5 6 2 5 7 13 9

13 5   3 10 12   8 4 2 56 8 7 13

77

Jeu 64

Cet arbre contient au moins vingt noms d'arbres.
Chaque nom se lit en suivant les lettres qui se touchent.
Un même nom ne peut utiliser deux fois la même lettre.
Mais une même lettre peut être réutilisée dans plusieurs noms.

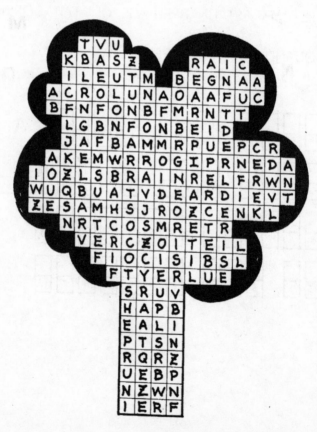

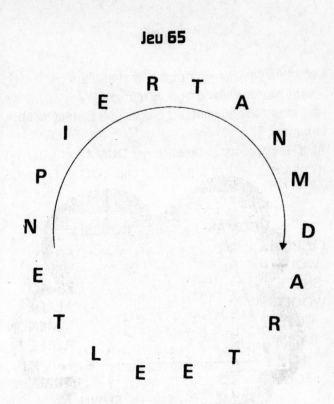

Partez d'une lettre choisie avec soin, puis sautez systématiquement soit de 2 en 2, de 3 en 3 ou même plus, pour lire un mot de dix-huit lettres.

Jeu 66

Comment peut-on joindre ces vingt auteurs :
– sans passer deux fois par le même,
– et sans que deux auteurs consécutifs n'aient de lettre commune ?

Ainsi, le parcours commence par **DUMAS** et **LOTI**, qui n'ont aucune lettre semblable, puis **LOTI** et **FRANCE**, etc.

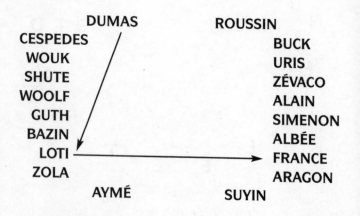

Jeu 67

LIRE ATTENTIVEMENT LES COURS DE LA
1   2   3   4   5   6

BOURSE, C'EST UNE ÉTUDE ACHETER
7   8 9   10   11   12

QUELQUES VALEURS, C'EST UNE LEÇON.
13   14   15 16 17   18

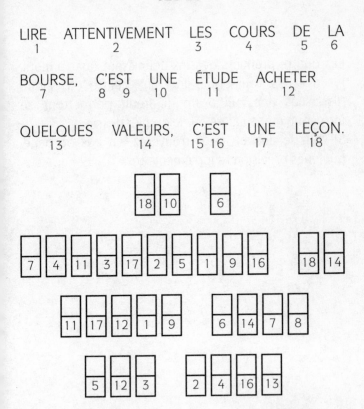

Découvrez cette citation de Musset à travers celle de Dorin.

Pour chaque lettre de la seconde citation, le numéro indique de quel mot elle provient dans la première citation. À vous de choisir et de reconstituer...

Jeu 68

Les quatre premiers dessins définissent quatre mots. Inscrivez-les. Vous obtiendrez ainsi quinze lettres qui, disposées dans un ordre différent, permettent de former un mot suggéré par le dernier dessin.

Si vous le désirez, vous trouverez, en bas de page, quelques précisions supplémentaires.

1er mot : 4 lettres ; *2e mot :* 3 lettres ; *3e mot :* 6 lettres et *4e mot :* 2 lettres.

82

+

+

+

=

Jeu 69

Reconstituez six mots avec ces six groupes de lettres, de manière à pouvoir remplir la grille comme l'indiquent les flèches. Sur la grille, les mots se croisent normalement.

E	I	O	U	F	N	L
E	O	N	F	R	M	T
A	E	I	G	S	S	T
A	A	E	I	G	N	L
I	I	O	L	L	M	N
E	O	U	L	R	S	T

84

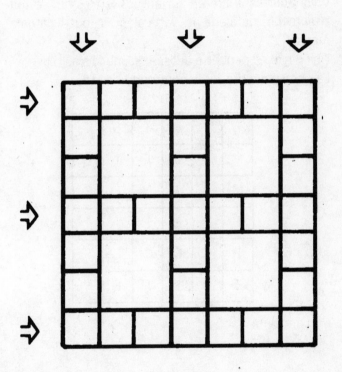

Jeu 70

Ce carré de lettres contient une phrase de Pierre de Brantôme.

Vous pourrez la lire en suivant les lettres qui se touchent, horizontalement, verticalement ou diagonalement.

Une lettre ne peut être utilisée qu'une fois au plus.

La phrase débute sur le pourtour du carré.

E	V	B	I	S	I
M	A	E	E	Y	U
M	R	I	N	F	Q
E	V	U	F	I	T
F	E	O	O	E	S
T	N	S	L	E	L

NUEE + =

RUINE + =

PORTE + =

TUES + =

PARURE + =

Ajoutez une même lettre à chaque mot puis combinez les lettres différemment pour former chaque fois un autre mot d'usage courant.

Jeu 72

Ce chien contient au moins vingt noms de chiens.
Chaque nom se lit en suivant les lettres qui se touchent.
Un même nom ne peut utiliser deux fois la même lettre.
Mais une même lettre peut être réutilisée pour plusieurs noms.

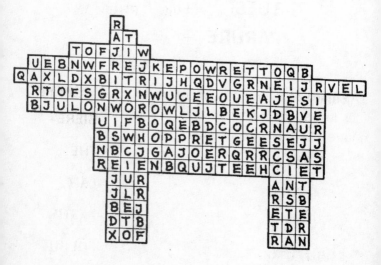

Jeu 73

Comment peut-on joindre ces vingt boissons
– sans passer deux fois par la même,
– et sans que deux boissons consécutives n'aient de lettre commune ?
Ainsi, le parcours commence par **EAU** et **VIN**, qui n'ont aucune lettre semblable, puis **VIN** et **RHUM**, etc.

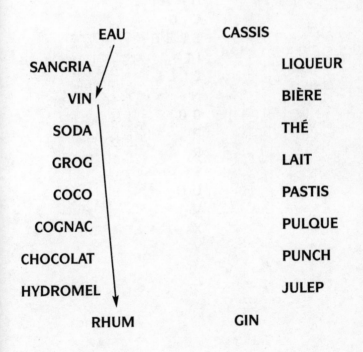

EAU   CASSIS

SANGRIA   LIQUEUR

VIN   BIÈRE

SODA   THÉ

GROG   LAIT

COCO   PASTIS

COGNAC   PULQUE

CHOCOLAT   PUNCH

HYDROMEL   JULEP

RHUM   GIN

Jeu 74

La bande dessinée ci-contre a pour morale un proverbe très connu.
Lequel ?
Voici, classées par ordre alphabétique, toutes les lettres de ce proverbe :

A A A
C D
E E E E
I I
L L L L
N
O O
P
R
S
U U
V
X
Y

Jeu 75

Dans chaque hexagone est défini un mot de six lettres. Ces six lettres s'inscrivent aux six sommets.
Certains mots se lisent en tournant dans un sens, d'autres dans le sens contraire.

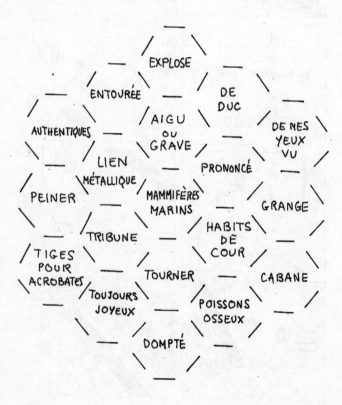

Jeu 76

Partez d'une lettre choisie avec soin, puis sautez systématiquement soit de 2 en 2, soit de 3 en 3 ou même plus, pour lire un mot défini par : « Part dans tous les sens. »

Jeu 77

Les quatre premiers dessins définissent quatre mots. Inscrivez-les. Vous obtiendrez ainsi quinze lettres qui, disposées dans un ordre différent, permettent de former un mot suggéré par le dernier dessin.

Si vous le désirez, vous trouverez en bas de page quelques précisions supplémentaires.

1er mot : 5 lettres ; *2e mot* : 5 lettres ; *3e mot* : 4 lettres et *dernier mot* : 1 lettre.

94

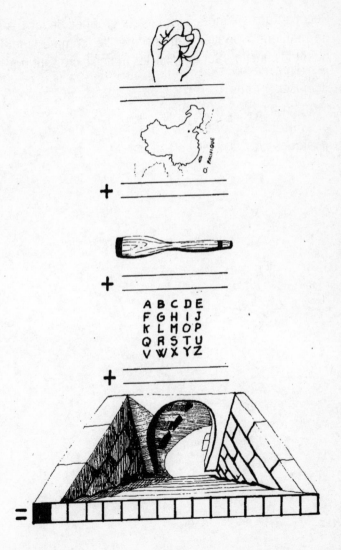

Jeu 78

Reconstituez six mots avec ces six groupes de lettres, de manière à pouvoir remplir la grille, comme l'indiquent les flèches. Sur la grille, les mots se croisent normalement.

A	E	E	N	R	T	V
A	E	E	I	G	L	R
E	E	E	C	H	L	L
A	E	I	D	L	N	S
A	I	O	B	C	R	T
A	E	E	C	H	R	P

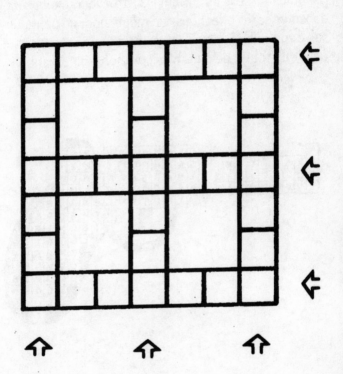

Jeu 79

Ce revolver contient au moins vingt noms d'armes à feu.

Chaque nom se lit en suivant les lettres qui se touchent, dans toutes les directions. Un même nom ne peut utiliser deux fois la même lettre. Mais une même lettre peut être réutilisée dans plusieurs noms différents.

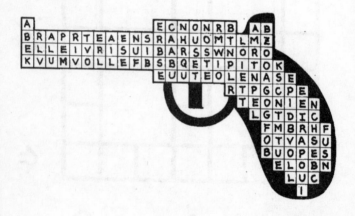

Jeu 80

ON NE DONNE RIEN SI LIBÉRALEMENT
1 2   3   4   5   6

QUE SES CONSEILS.
7   8   9

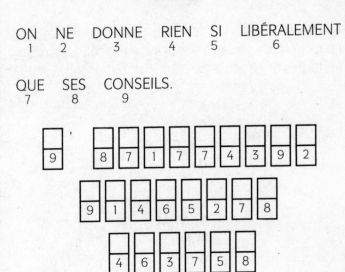

Découvrez cette citation de Pascal à travers celle de La Rochefoucauld. Pour chaque lettre de la seconde citation, le numéro indique de quel mot elle provient dans la première citation. À vous de choisir et de reconstituer...

Jeu 81

Le dessin ci-contre illustre un proverbe très connu. Lequel ? Voici, classées par ordre alphabétique, toutes les lettres de ce proverbe :

```
A
C
E E E E
H
I
L
M M M
N N
O O
R
S S
T T
U
```

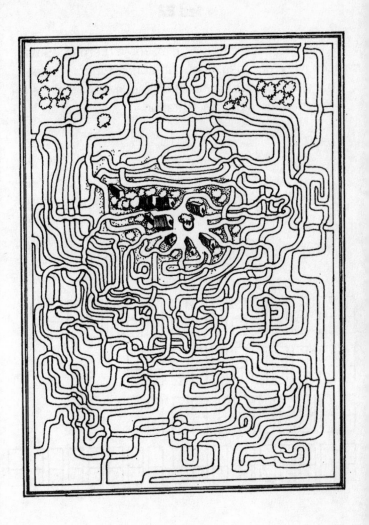

Jeu 82

À travers cette citation de George Bernard Shaw, découvrez une deuxième citation du même auteur. Pour chaque lettre, un nombre indique de quel mot elle provient dans la première citation.

LE SECRET DU SUCCÈS EST D'OFFENSER LE PLUS
1   2   3   4   5   6   7   8   9

GRAND NOMBRE POSSIBLE DE GENS
10   11   12   13   14

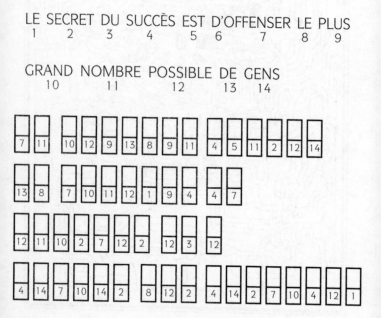

Jeu 83

Ce carré contient une phrase d'Alfred Jarry. Elle se lit à partir d'un bord, en suivant les lettres qui se touchent, horizontalement ou verticalement (et non en diagonale).

Une lettre ne peut être utilisée une fois et une seule.

Quelle est cette phrase ?

```
P  T  U  C  T  E  S  B
E  S  N  A  O  P  A  N
R  U  O  T  R  M  I  S
L  A  M  A  N  C  E  P
F  A  E  I  N  D  E  U
E  I  R  E  M  I  F  I
L  T  T  N  I  N  Q  S
T  U  E  P  N  O  U  C
```

Jeu 84

Les quatre premiers dessins définissent quatre mots. Inscrivez-les. Vous obtiendrez ainsi seize lettres qui, mises dans un ordre différent, permettent de former un mot suggéré par le dernier dessin.

Si vous le désirez, vous trouverez en bas de page quelques précisions supplémentaires.

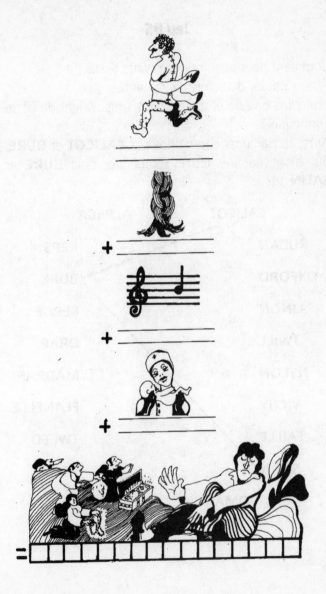

+

+

+

=

Jeu 85

Comment peut-on joindre ces vingt tissus :
– sans passer deux fois par le même,
– et sans que deux tissus consécutifs n'aient de lettre commune ?
Ainsi, le parcours commence par **CALICOT** et **BURE**, qui n'ont aucune lettre semblable, puis **BURE** et **SATIN**, etc.

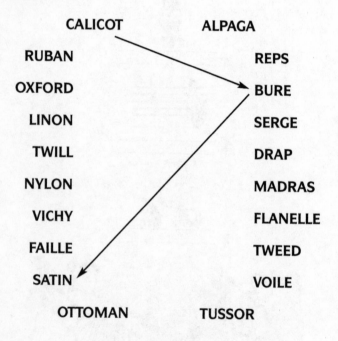

CALICOT   ALPAGA

RUBAN   REPS

OXFORD   BURE

LINON   SERGE

TWILL   DRAP

NYLON   MADRAS

VICHY   FLANELLE

FAILLE   TWEED

SATIN   VOILE

OTTOMAN   TUSSOR

Jeu 86

Il est possible de joindre les mots **BERGER** et **MOUTON** au moyen de dix intermédiaires.

Chaque mot intermédiaire ne diffère du précédent que d'une seule lettre. À chaque étape, toutes les lettres conservent leurs places, à l'exception d'une seule, qui peut être modifiée, retranchée ou ajoutée.

Toutes les formes grammaticales sont permises, mais les noms propres sont exclus.

BERGER

_____

_____

_____

_____

_____

_____

_____

_____

_____

_____

MOUTON

Saurez-vous trouver dix intermédiaires…, ou même moins, et battre ainsi le record de l'auteur ?

Jeu 87

Ce champignon contient au moins vingt noms de champignons.

Chaque nom se lit en suivant des lettres qui se touchent. Un même nom ne peut utiliser deux fois la même lettre. Mais une même lettre peut être réutilisée pour plusieurs noms.

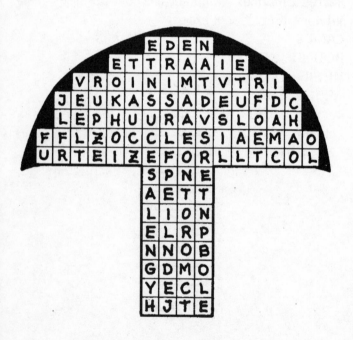

Jeu 88

DIAGNOSTIC

RICHE   ROI
PINGRE
L'AXE   PLOIE
REBATIE
MENU   MOINE
VILE RAGE
CAMÉE
BOULET   CREUX
NÉ FIER
GRUE VOLE

Cette liste cache dix maladies. Mais, pour chacune, une lettre a été modifiée, et l'ordre des lettres a été boule-versé. (Par exemple LEVIER peut cacher FIÈVRE.) Saurez-vous les retrouver ?

Jeu 89

Comment peut-on joindre ces vingt ingrédients culinaires sans passer deux fois par le même et sans que deux ingrédients consécutifs n'aient de lettre commune ? Ainsi, le parcours commence par **CANARD** et **FOIE**, qui n'ont aucune lettre semblable, puis **FOIE** et **LARD**, etc.

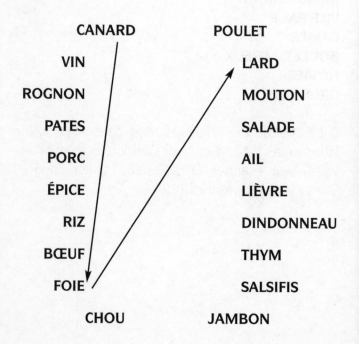

CANARD	POULET
VIN	LARD
ROGNON	MOUTON
PATES	SALADE
PORC	AIL
ÉPICE	LIÈVRE
RIZ	DINDONNEAU
BŒUF	THYM
FOIE	SALSIFIS
CHOU	JAMBON

Jeu 90

Ce carré contient une phrase de Salvador Dalī. Elle se lit à partir d'un bord, en suivant les lettres qui se touchent, horizontalement ou verticalement (et non en diagonale).
Une lettre ne peut être utilisée qu'une fois au plus.
Quelle est cette phrase ?

```
S  I  U  P  N  O  U  Q
S  E  D  E  M  L  E  S
R  E  D  N  A  O  I  N
A  U  N  E  S  M  E  L
T  P  L  U  C  P  E  G
U  S  T  L  E  A  S  U
R  E  Q  L  N  E  B  O
E  C  U  E  A  U  R  V
```

Jeu 91

Dans chaque polygone, un dessin définit un mot. Les lettres de ce mot s'inscrivent aux sommets du polygone. Certains mots se lisent en tournant dans un sens, d'autres en tournant dans le sens inverse.

112

Jeu 92

Partez d'une lettre choisie avec soin, puis sautez systématiquement soit de 2 en 2, de 3 en 3 ou même plus, pour lire un mot défini par : « période ».

Jeu 93

Les quatre premiers dessins définissent quatre mots.
Inscrivez-les. Vous obtiendrez ainsi dix-huit lettres qui,
disposées dans un ordre différent, permettent de
former un mot suggéré par le dernier dessin.

Si vous le désirez, vous trouverez en bas de page
quelques précisions supplémentaires.

1er mot : 6 lettres ; *2e mot* : 4 lettres ; *3e mot* : 5 lettres et *dernier mot* : 3 lettres.

T	J	F	U	R	U	I	I
R	I	A	O	A	E	D	R
U	E	E	P	H	T	U	S
C	A	A	R	Q	T	D	E

Ce rectangle cache une phrase de Paul Valéry. Chacune des trente-deux lettres est utilisée une fois, et une seule, en suivant le parcours d'un cavalier d'échecs sur trente-deux cases.

Rappelons qu'un cavalier d'échecs saute d'une case à l'une des huit qui l'entourent, marquées ici d'une croix.

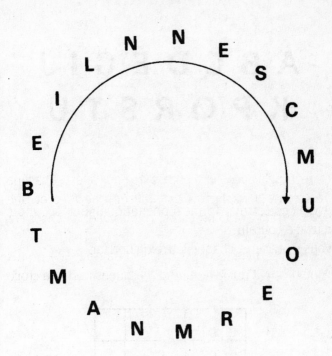

Partez d'une lettre choisie avec soin, puis sautez systématiquement soit de 2 en 2, soit de 3 en 3 ou même plus, pour lire un mot de dix-neuf lettres.

Le nombre 19 n'est divisible par aucun autre, ce qui n'est pas sans rapport avec le mot à trouver.

A B C D É G I J
K P Q R S T U

Avec ces lettres, formez phonétiquement six mots d'usage courant.
Vous n'utiliserez chaque lettre qu'une fois.

Jeu 97

Il est possible de joindre les mots **OUVRIR** et **FERMER** au moyen de onze intermédiaires.

Chaque mot intermédiaire ne diffère du précédent que d'une seule lettre. À chaque étape, toutes les lettres conservent leurs places, à l'exception d'une seule, qui peut être modifiée, retranchée ou ajoutée.

Toutes les formes grammaticales sont permises, mais les noms propres sont exclus.

OUVRIR
———————
———————
———————
———————
———————
———————
———————
———————
———————
———————
———————
FERMER

Saurez-vous trouver onze intermédiaires... ou même moins, et battre ainsi le record de l'auteur ?

Jeu 98

Comment peut-on joindre ces vingt jeux : sans passer deux fois par le même, et sans que deux jeux consécutifs n'aient de lettre commune ? Ainsi, le parcours commence par **BRIDGE** et **LOTO**, qui n'ont aucune lettre semblable, puis **LOTO** et **ÉCHECS**, etc.

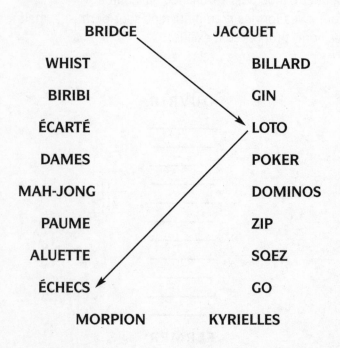

BRIDGE	JACQUET
WHIST	BILLARD
BIRIBI	GIN
ÉCARTÉ	LOTO
DAMES	POKER
MAH-JONG	DOMINOS
PAUME	ZIP
ALUETTE	SQEZ
ÉCHECS	GO
MORPION	KYRIELLES

Jeu 99

Ce couteau contient au moins vingt noms d'armes blanches. Chaque nom se lit en suivant des lettres qui se touchent. Un même nom ne peut utiliser deux fois la même lettre, mais une même lettre peut être réutilisée pour plusieurs noms.

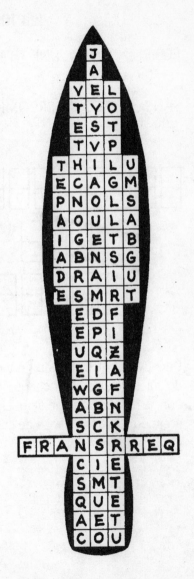

Jeu 100

ÉCRIRE, C'EST UNE FAÇON DE PARLER
1 2 3 4 5 6 7

SANS ÊTRE INTERROMPU.
8 9 10

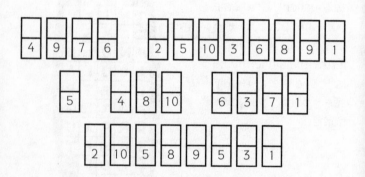

Découvrez cette citation de Victor Hugo à travers celle de Jules Renard. Pour chaque lettre de la seconde citation, le numéro indique de quel mot elle provient dans la première citation. À vous de choisir et de reconstituer...

SOLUTIONS

Jeu 1

AVIS

Jeu 2

PRÉ(CEP)TEUR
COU(VER)TURE
É(POUSSE)TAGE
RA(MAS)SAGE
MA(LADRE)SSE

Jeu 3

```
  MAIN
+ TENTE
+ NAIN
+ RU
+ O
```
_____

= MANUTENTIONNAIRE

Jeu 4

Un uniforme est un avant-projet de cercueil.

Jeu 5

BELLE	RACES
BALLE	RADES
BÂCLE	RAIDS
RACLE	RAIDE
RACÉE	LAIDE

Jeu 6

X donne :   SILEX
EXAMEN
EXIGER
EXPRÈS
MIXTE
EXORDE

Jeu 7

AIGLE – ALOUETTE – AUTRUCHE – CACATOÈS – CHOUETTE – CIGOGNE – FAISAN – FLAMANT – HIRON-DELLE – MÉSANGE – MOINEAU – PAON – PÉLICAN – PERDRIX – PERRUCHE – PINGOUIN – ROSSIGNOL – ROUGE-GORGE – SARCELLE – VAUTOUR.

Jeu 8

E Q L   (écuelle)
A R I N (aérienne)

Jeu 9

ANNIVERSAIRE

Jeu 10

QUI SÈME LE VENT RÉCOLTE LA TEMPÊTE

Jeu 11

CENTRIFUGEUSE.

Jeu 12

POÈME
POÊLE
POULE
ROULE
ROUTE
SOUTE
SOTTE
BOTTE
BOITE
BOISE
BRISE
PRISE
PROSE

Jeu 13

    DOS
+ CAME
+ TE
+ LIN
+ UT
_____

= DOCUMENTALISTE

Jeu 14

ALGÈBRE
FUNÈBRE
VERTÈBRE
ZÈBRE
TÉNÈBRES

Jeu 15

ACAJOU – ARGENT – AUBURN – AZUR – BEIGE – BISTRE –
BORDEAUX – CARMIN – CORAIL – FAUVE – GARANCE –
GRENAT – INDIGO – LILAS – MAUVE – OUTREMER –
POURPRE – SAUMON – TURQUOISE – VIOLET.

Jeu 16

QUI VA À LA CHASSE PERD SA PLACE

Jeu 17

On ne subit pas l'avenir, on le fait.

Jeu 18

A Q I T	acuité
N R V	énerver
L É	hêler

Jeu 19

vicieux / flicards ; curiosités / fringues ; comte / loufiat ;
Alfred / Cacao ; amis / plaignants ; retour / chien ; duel / sac

Jeu 20

CI(SAILLE)MENT
MOU(LIN)ETTE
MOU(TARD)E
GI(ROUET)TE
CYCL(ON)E

Jeu 21

Z donne :   ZOUAVE
AZURER
BRONZE
CZARINE
TREIZE

Jeu 22

  COIN
+ FAON
+ METS
+ RIT
———————————
= ANTICONFORMISTE

Jeu 23

GAGNER
GAGNES
PAGNES
PANNES
PENNES
PENDES
PENDUS
PENDUE
PERDUE
PERDRE

Jeu 24

ACROBATE – BARBIER – BÛCHERON – CHARPENTIER –
COIFFEUR – CORDONNIER – DOCKER – EMPAILLEUR –
FORGERON – FOSSOYEUR – GRUTIER – HORLOGER –
MARAÎCHER – PÊCHEUR – RAMONEUR – RÉMOULEUR
SERRURIER – SOUDEUR – TAPISSIER – VANNIER.

Jeu 25

HA(UTB)OIS
PO(STD)ATE
A(STH)ME
POS(TSC)OLAIRE
TROGL(ODY)TE
VIN(GTI)ÈME
O(RPH)ÉON

Jeu 26

BÉATIFICATION

Jeu 27

M I É T	émietté
R O D	éroder
H E V	achevé
A G	âgé
B C	baissé
N S	aînesse

Jeu 28

TRANSCONTINENTALE

Jeu 29

```
  MONT
+ DENT
+ COIN
+ SEIN
```
─────────────────

= CONDITIONNEMENTS

Jeu 30

SATAN
SATIN
PATIN
PÂTIS
BÂTIS
BÂTES
BUTES
EÛTES
ENTES
ENTER
ENFER

Jeu 31

ACCORDÉON – BANJO – BASSON – CLAIRON – CLARI-
NETTE – CLAVECIN – CONTREBASSE – COR – CYMBALE –
FLÛTE – GUITARE – HARPE – HAUTBOIS – HÉLICON –
ORGUE – PIANO – SAXOPHONE – TROMBONE – TROM-
PETTE – VIOLON.

Jeu 32

L'APPÉTIT VIENT EN MANGEANT.

Jeu 33

Le seul amour fidèle, c'est l'amour-propre.

Jeu 34

ABJECT
CORRECT
INFECT
INTELLECT
SELECT

Jeu 35

```
T   O   I   T   U   R   E
E               A           C
R               U           U
M   E   U   R   T   R   E
I                           I
T                           L
E   C   L   U   S   E   S
```

Jeu 36

insectes / indications ; liège / carton ; mordait / gagnait ;
sommeil / sifflotement ; maelström / air ; attention / éviction ;
connaître / gaffer.

Jeu 37

JEUNE
JAUNE
JAUGE
SAUGE
SAUTE
SOUTE
SOUDE
SONDE
SONGE
SINGE
SIÈGE
LIÈGE
LIEUE
LIEUX
VIEUX

Jeu 38

MA(INM)ISE
SA(XOP)HONE
MO(NTG)OLFIÈRE
SA(NGS)UE
SCHI(ZOP)HRÈNE
N(AEV)US
P(HRY)GIEN

Jeu 39

A J O T	agioter
F M R	éphémère
É Q	écu
I N	hyène
K C	cassé
L U D	éluder

Jeu 40

BAC – BALEINIÈRE – BANANIER – CANOË – CARGO – CHA-LUTIER – FERRY-BOAT – HORS-BORD – HYDROGLISSEUR – JONQUE – PAQUEBOT – PÉNICHE – PÉTROLIER – RADEAU – REMORQUEUR – SKIFF – SOUS-MARIN – VEDETTE – VOI-LIER – YACHT.

Jeu 41

```
  CRAN
+ DON
+ LISTE
+ TAIE
```
_____

= DÉCENTRALISATION

Jeu 42

En ajoutant : OR

MORALE
CORDON
SORTE
FORCER
VAIRON

Jeu 43

VO(LTM)ÈTRE
PLI(NTH)E
O(FFS) ET
A(RCT)IQUE
C(HRO)NOMÈTRE
TRIU(MVI)RAT
TROLLE(YBU)S

Jeu 44

L'avenir, c'est du passé en préparation.

Jeu 45

RIXE
+ MEUTE
+ PATE
+ NR
_____

= EXPÉRIMENTATEUR

Jeu 46

PERFECTIONNEMENT

Jeu 47

DROIT
CROIT
CROIE
CRAIE
CRÂNE
CRANS
CRINS
COINS
MOINS
MOINE
MORNE
MORDE
TORDE
TORDU

Jeu 48

CABANE – CAHUTE – CASE – CASERNE – CHALET – CHÂ-
TEAU – COUVENT – FERME – GOURBI – GROTTE – HUTTE
– IMMEUBLE – ISBA – MAISON – MANOIR – MONASTÈRE
PALAIS – RÉSIDENCE – TENTE – VILLA.

Jeu 49

CUPIDE
INSIPIDE
INTRÉPIDE
LAPIDE
LIMPIDE
RAPIDE

Jeu 50

La Prudence est mère de sécurité.

Jeu 51

basse-cour / sauce ; bouche / gueule ; poussins / lamellibranches ;
espèces / frites ; poule / gamine ; vin / jus ; purification / férocité

Jeu 52

CIGOGNE   IVROGNE
CANARD   POCHARD

Jeu 53

JEÛNER
JEUNE
JAUNE
AUNE
UNE
ÂNE
ANGE
MANGE
MANGER

Jeu 54

```
  GARE
+ FER
+ TIR
+ RUE
_____

= RÉFRIGÉRATEUR
```

Jeu 55

I J N	hygiène
F A C	effacer
R O	héros
É B T	hébété
L U	élu
K D	cadet

Jeu 56

BÉRET – BIBI – BICORNE – BONNET – CALOT – CALOTTE – CANOTIER – CASQUE – CASQUETTE – COIFFE – COURONNE – FEUTRE – GIBERNE – HAUT-DE-FORME – HEAUME – HENNIN – KÉPI – MELON – SOMBRERO – TRICORNE.

Jeu 57

QUI SE RESSEMBLE S'ASSEMBLE.

Jeu 58

MINE + FA	=	INFÂME
CRIN + LA	=	LARCIN
RANG + DO	=	DRAGON
ÂNE + MI	=	MANIE
VIE + SOL	=	SOLIVE
MÈRE + SI	=	MISÈRE
MARI + RE	=	MARIER

Jeu 59

CALME
CAME
RAME
BRAME
BRAIE
BRAIT
BRUIT

Jeu 60

  LIME
+ SAUT
+ TRAIN
+ NO
_____

= SURALIMENTATION

Jeu 61

N R J	énergie
K O T	cahoté
A B I	abbaye
Q V	cuvée
D S	déesse
M U	ému

Jeu 62

TRIP(TYQ)UE

PR(ÉÉT)ABLIR

MO(NTM)ORENCY (Cerise)

C(ONV)OI

CO(CCY)X

SU(BDÉ)LÉGUÉ

SU(BVE)NTION

Jeu 63

Pauvre France, quel est l'Augias qui te guérira de ton incurie ?

Jeu 64

ACACIA – AMANDIER – BAOBAB – BOULEAU – CÈDRE – CERISIER – COCOTIER – ÉRABLE – HÊTRE – IF – LAURIER – MAGNOLIA – MARRONNIER – ORANGER – PEUPLIER – PRUNIER – SAPIN – SÉQUOIA – SYCOMORE – TILLEUL.

Jeu 65

INTERDÉPARTEMENTAL

Jeu 66

DUMAS – LOTI – FRANCE – WOUK – BAZIN – CÉSPEDES – ALAIN – BUCK – ARAGON – SHUTE – ZOLA – URIS – ALBÉE – ROUSSIN – AYMÉ – WOOLF – SUYIN – ZÉVACO – GUTH – SIMENON

Jeu 67

On a bouleversé la terre avec des mots.

Jeu 68

```
  GANT
+ ROI
+ SAISON
+ DE
─────────────────────
= DÉSORGANISATION
```

Jeu 69

```
F E N O U I L   L
R         U       A
O         R       I
M I L L I O N
E         E       A
N         T       G
T I S S A G E
```

Jeu 70

SOUVENT FEMME VARIE, BIEN FOL EST QUI S'Y FIE.

Jeu 71

J donne : ENJEU   INJURE   PROJET   SUJET   PARJURE

Jeu 72

BASSET – BERGER – BOULEDOGUE – BRAQUE – CANICHE – CHOW-CHOW – COCKER – DANOIS – ÉPAGNEUL – FOX-TERRIER – GRIFFON – LEVRETTE – LÉVRIER – LOULOU – PÉKINOIS – RATIER – ROQUET – SAINT-BERNARD – SETTER – TERRE-NEUVE.

Jeu 73

EAU – VIN – RHUM – CASSIS – HYDROMEL – PASTIS – GROG – JULEP – SODA – LIQUEUR – COGNAC – BIÈRE – CHOCOLAT – GIN – THÉ – SANGRIA – PULQUE – COCO – LAIT – PUNCH.

Jeu 74

IL Y A LOIN DE LA COUPE AUX LÈVRES.

Jeu 75

```
                    ÉCLATE
          CEINTE              DUCALE
VRAIES              ACCENT              DE VISU
          CHAÎNE              ACCUSÉ
AHANER              CÉTACÉ              REMISE
          CHAIRE              ATOURS
LIANES              TORDRE              MASURE
          DRILLE              MÉROUS
                    DRESSÉ
```

Jeu 76

MULTIDIMENSIONNELLE

Jeu 77

```
  POING
+ CHINE
+ RAME
+ N
_____

= CHAMPIGNONNIÈRE
```

Jeu 78

```
A L G É R I E
B       C       C
R       H       H
I S L A N D E
C       R       L
O       P       L
T A V E R N E
```

Jeu 79

ARQUEBUSE – BAZOOKA – BOMBARDE – BROWNING – CANON – CARABINE – CHASSEPOT – COULEUVRINE – CRAPOUILLOT – ESCOPETTE – ESPINGOLE – FUSIL – HAQUEBUTE – MITRAILLEUSE – MOUSQUET – MORTIER – PARABELLUM – PISTOLET – REVOLVER – TROMBLON.

Jeu 80

L'éloquence continue ennuie.

Jeu 81

TOUS LES CHEMINS MÈNENT À ROME.

Jeu 82

On appelle cercle de famille un endroit où l'enfant est encerclé.

Jeu 83

L'amour est un acte sans importance, puisqu'on peut le faire indéfiniment.

Jeu 84

```
  DÉMENT
+ TRESSE
+ SI
+ NE
―――――――――――――――――――
= DÉSINTÉRESSEMENT
```

Jeu 85

CALICOT – BURE – SATIN – OXFORD – ALPAGA – VICHY – DRAP – NYLON – TWEED – RUBAN – VOILE – MADRAS – LINON – SERGE – TWILL – REPS – OTTOMAN – FAILLE – TUSSOR – FLANELLE.

BERGER
BERNER
BORNER
BORNE
BORE
BOUE
BOULE
BOULET
BOULOT
BOULON
BOUTON
MOUTON

Jeu 87

AMADOUVIER – AMANITE – BOLET – CÈPE – CHANTE-RELLE – CLAVAIRE – COPRIN – CRATERELLE – ENTOLOME – HYDNE – LACTAIRE – MORILLE – MOUSSERON – ORONGE – PÉZIZE – PLEUROTE – PSALLIOTE – RUSSULE – TRICHOLOME – TRUFFE.

Jeu 88

DIAGNOSTIC

Cirrhose – Grippe – Apoplexie – Diabète – Pneumonie – Allergie – Eczéma – Tuberculose – Fièvre – Rougeole.

Jeu 89

CANARD – FOIE – LARD – BŒUF – AIL – ROGNON – ÉPICE – MOUTON – SALSIFIS – CHOU – LIÈVRE – JAMBON – PATES – VIN – POULET – RIZ – SALADE – PORC – THYM – DINDONNEAU.

Jeu 90

Le moins qu'on puisse demander à une sculpture, c'est qu'elle ne bouge pas.

Jeu 91

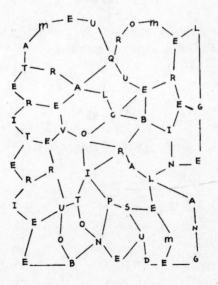

Jeu 92

ENTRE-DEUX-GUERRES

Jeu 93

+ CAMION
+ CIME
+ LUTTE
+ SON
_____

= TÉLÉCOMMUNICATIONS

Jeu 94

La phrase de Paul Valéry est : AUJOURD'HUI CE QUI EST
PARFAIT RETARDE. *(Mauvaises Pensées.)*

Jeu 95

INCOMMENSURABLEMENT

Jeu 96

A J T	agiter
Q B	cuber
D K P	décaper
R I G	ériger
S C	essai
U É	huer

Jeu 97

OUVRIR
COUVRIR
COURIR
MOURIR
MÛRIR
MURER
MURET
FURET
FORÊT
FORE
FORMÉ
FERME
FERMER

Jeu 98

BRIDGE – LOTO – ÉCHECS – BILLARD – GO – DAMES – GIN – POKER – WHIST – PAUME – BIRIBI – ALUETTE – DOMINOS – ÉCARTÉ – ZIP – JACQUET – MORPION – SQEZ – MAH-JONG – KYRIELLES.

Jeu 99

BAÏONNETTE – CIMETERRE – COUTEAU – COUTELAS – DAGUE – ÉPÉE – FRANCISQUE – GLAIVE – GUISARME – HALLEBARDE – JAVELOT – CRISS – LANCE – PERTUISANE – PILUM – PIQUE – POIGNARD – SABRE – SAGAIE – STYLET.

Jeu 100

Être contesté, c'est être constaté.

Cet ouvrage a été composé
par Atlant'Communication
aux Sables-d'Olonne (Vendée)

Impression réalisée
par Maury (Malesherbes)
en mai 2008
pour le compte des Éditions Archipoche.

Imprimé en France
N° d'édition : 73 – N° d'impression : 137894
Dépôt légal : juin 2008